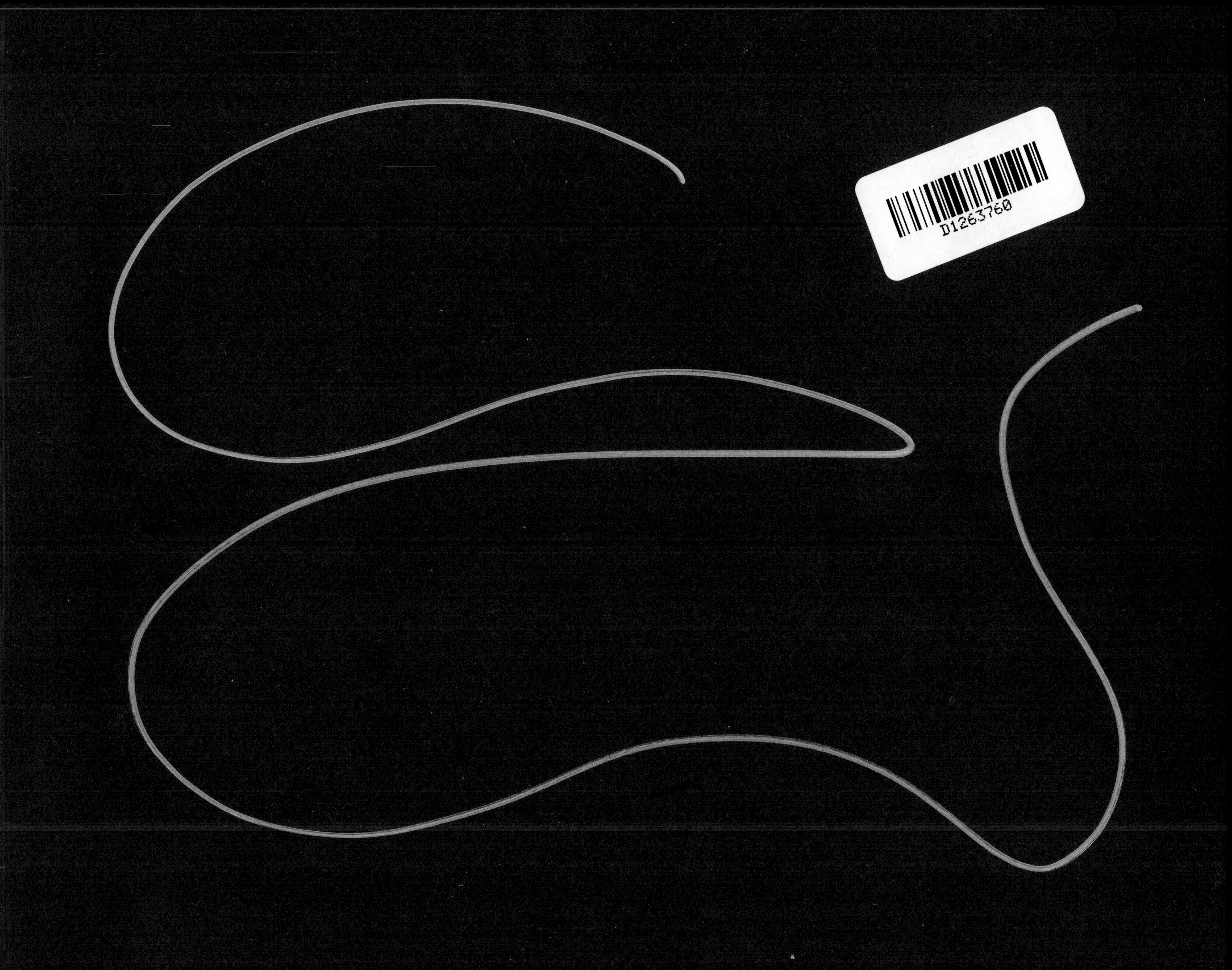
D1263760

elebra

Editor: Beatriz Borges
Texto e Coordenação: Dea Backheuser e Mª Helena Silva Ramos
Composição Fotográfica: José de Paula Machado

Direção de Fotografia: Carlos Secchin
Impressão: Imprinta
Fotolitos: Reprocolor
Diagramação: Beatriz Borges
Artes Finais: Gelson Maciel
Fotocomposição: Studio Alfa
Tiragem: 3.000 exemplares

BÚZIOS CABO FRIO ARRAIAL DO CABO

Brasil

Mapa do litoral brasileiro feito em 1516 por Heuricus Hondius

Accuratissima
Brasiliæ
Tabula.
Amstelodami
Henricus Hondius excudit.
Baya de todos os Sanctos
Villa d'Olinda de Pernambuco
Mar del Nort
Capitania de S. Vincent
Capitania de Rio de Ianeiro
Cap. de Spiritu Sancto
Capitania de Porto Seguro
Cap. de la Bahia
Cap. de los Isleos
Cap. de Pernambuco
Cap. de Tamaraca
Cap. de Parayba
Guaymures
Aymures
Topimanbazes
Maraquites
Tapuias
Margaias
Molopaques
Tououpinambauti
Miramumins
Pories
Miliaria Germanica communia
Miliaria Gallica communia
Ilha de Fernão de Noronho
Os Abrolhos
Rio de Ianeyro
S. Vincente
S. Paulo

Caía a tarde.
A borrasca, tangida pelo Nordeste,
desdobrava sôbre o oceano o manto bronzeado.
Com a sombra, que projetavam os negros castelos
de nuvens, carregava-se o turvo aspecto da costa.

As ilhas que bordam êsse vasto seio de mar,
entre a Ponta dos Búzios e Cabo Frio,
Confundiam-se com a terra firme,
e pareciam apenas saliências dos rochedos.

... um barco de borda rasa e um só mastro,
tão cozido à terra, que o olhar do mais prático
marinheiro não o distinguiria a meia milha de distância,
entre as fraguras do penedo e o farelhão dos abrolhos".

José de Alencar

Maio de 1873
têxto da crônica
"O Ermitão da Glória".

Sumário

O Descobrimento da região

Américo Vespúcio, piloto florentino foi quem descobriu Cabo Frio, quando em 1503, aportou em uma praia de areias brancas e águas tranquilas, a qual deu o nome de Cabo da Rama, hoje a Praia dos Anjos, no atual Município de Arraial do Cabo.

Não era esta, no entanto, uma terra desabitada. Nela viviam os índios tamóios e goitacás, da nação Tupinambá que, segundo antropólogos e historiadores ali se fixaram pelo menos mil anos antes dos portugueses chegarem.

A região é por muitos considerada como uma das mais antigas localidades brasileiras e marco inicial do devassamento de toda a província fluminense.

A primeira feitoria estabelecida no Brasil por Vespúcio, teve como colono o português João de Braga, que lá ficou com mais vinte e quatro homens, para guarnecerem o litoral recém descoberto.

Pouco tempo depois da partida de Vespúcio, que deixa além de homens, uma cabana toscamente construída de barro e coberta de palha, surge nas cartas de navegação marítima da época, mais precisamente no Mapa de Kunstmann III — de 1506, o nome Cabo Frio aparecendo assinalada também uma ilha de mesmo nome. Vários historiadores afirmam que o topônimo (nome próprio de lugar) deve ter nascido do contraste da região fria em zona quente.

"Notaram os navegantes, ao passarem neste ponto da costa, mudança brusca de temperatura, a ponto de os macacos que levavam a bordo morrerem ou passar mal".

Tem o topônimo, portanto quase a mesma idade histórica do Brasil.

A Colonização, 1504

Ao acompanhar uma expedição, cujo comando teria cabido a Gaspar de Lemos, que o levou às terras descobertas, Américo Vespúcio alegra os portugueses ao constatar a existência de grande quantidade de pau-brasil, conhecido pelos índios como ibirapitanga ou pau-vermelho, na Mata Atlântica.

"Madeira conhecida pelos europeus, desde as Cruzadas, quando foi trazida das Índias, era utilizada como matéria-prima auxiliar nas manufaturas têxteis da Itália, da França e de Flandres. Colocada sob "monopólio estatal", a exploração da madeira tintorial foi arrendada a comerciantes, em 1502. O primeiro contrato do pau-brasil foi realizado pelo cristão novo Fernão de Noronha. Portugal se comprometeu então, a não mais importar o similar do Oriente, enquanto os arrendatários assumissem sua exploração anual. Começa desta forma, a efetiva exploração do Brasil e nascem os "brasileiros", denominação dada aos comerciantes do pau-brasil (in História da Sociedade Brasileira — Francisco Alencar, Lucia Carpi, Marcus Vinicius Ribeiro) .

Este consórcio é quem financia em 1503, uma expedição exploradora, que teria sido capitaneada por Gonçalo Coelho. Descobre-se então a Ilha da Quaresma ou de São João, doada à Fernão de Noronha, em 1504, hoje território que tem seu nome.

Em 1511, a feitoria de Cabo Frio recebe através da Nau-Bretoa, as seguintes provisões:
22 tuins, 16 sagüis, 16 gatos, 15 papagaios, 3 macacos, 5000 toras de pau-brasil, 40 escravos, na maioria mulheres e aprisiona dezenas de indígenas.

A partir de então tem início a imigração portuguesa para aquele local, sendo fundada a 13 de novembro de 1615, na localidade denominada Casa da Praia, a cidade de Santa Helena, atual Cabo Frio. "e, a ser verdade, pode-se acrescentar que ali nasceu a civilização sul-americana com o primeiro assentamento em terra firme: O de Vespúcio, entre dezembro de 1503 e janeiro de 1504".

(Alberto Lamego)

Os Piratas franceses, holandeses e ingleses

A existência de grande quantidade de pau-brasil e o total desguarnecimento do litoral cheio de enseadas seguras para seus navios, contribuem para fazer da região local extremamente atraente para os corsários franceses, ingleses e holandeses.

As investidas, cada vez maiores e mais frequentes, levaram o Governo a proteger e melhor povoar a área. É então fundada a Capitania de São Tomé, da qual Cabo Frio faz parte.

Os franceses, com a ajuda dos índios Tamôios, insistem. Novas incursões são realizadas em vários pontos do litoral. Algumas já pensando em estabelecimento mais definitivo, como a França Antártica, que ia de Cabo Frio até a Baía de Guanabara, entre 1555 e 1567 e a França Equinocial, no Maranhão, entre 1612 e 1615. Na região de Cabo Frio os franceses constroem bases e abrigos para a estocagem da madeira contrabandeada.

Em 1564, o Rio de Janeiro é invadido pelos franceses, sendo defendido por Estácio de Sá, sobrinho do Governador-Geral Mem de Sá.

O novo Rei de Portugal, D. Sebastião, após a morte de Mem de Sá, em 1572, divide o governo brasileiro em dois, determinando que a região sul fosse governada por D. Antonio Salema, Jurista e professor da Universidade de Coimbra. Salema partindo do Rio de Janeiro, em 27 de agosto de 1575, para Cabo Frio, promove um verdadeiro massacre aos índios tamoios e afugenta os franceses, que após certo tempo voltam para a região junto com corsários ingleses e holandeses. Os portugueses em geral confundiam outras nacionalidades que não fossem os espanhóis, daí a dúvida até hoje, quanto a origem exata dos corsários e por conseguinte, da data certa da expulsão dos corsários franceses do lugar.

Por volta de 1615, Constantino, ajudado por Mem de Sá e o índio Araribóia, conseguem após várias guerrilhas, expulsar definitivamente os franceses e holandeses de Cabo Frio.

Arraial do Cabo

"Arraial do Cabo fica situada numa baixada de dunas cercada de morros por quase todos os lados, como se tivesse sido assentada em cima de um vulcão, dando a impressão de que a geografia lhe reservara como destino, a vida no mar".

Formada há mais de mil anos pela captura das areias da restinga de antigas ilhas, os morros do Miranda, do Forno e do Pontal do Atalaia, ficaram assim aprisionados ao continente.

Durante séculos, a vida esteve isolada do continente pela lagoa de Araruama e pelo canal de Itajurú, somando-se a isso a falta de comunicação rodoviária com a sede do atual município.

Na década de 50, Arraial sofre grandes mudanças, resultantes do impacto causado pela instalação da Companhia Nacional de Álcalis, iniciada pelo Almirante Ërnani do Amaral Peixoto. Nesta época, Raimundo de Castro Maya, grande colecionador de artes, visitando o local, dele se encanta e reforma a Casa de Pedra situada na Praia dos Anjos, que alguns dizem ter sido uma fortaleza construída no tempo de Américo Vespúcio.

Arraial é um excelente ponto pesqueiro, graças ao fenômeno da ressurgência, isto é, do afloramento das águas profundas e frias da corrente marítima Antártica, que ocorre no local.

A praia dos Anjos, onde aportou Vespúcio, o Pontal do Atalaia, que avança pelo oceano, parecendo ir de encontro aos maciços da Ilha de Cabo Frio, são de inacreditável beleza. Em frente, a Ilha dos Franceses, um dos melhores pesqueiros de toda a região, completa esta magnífica paisagem.

A vegetação de Arraial do Cabo é típica, porque por um processo de sedimentação ativa, seu solo não se presta a qualquer espécie de cultura, o que transformou o cabista (natural do Cabo) em um pescador por excelência. Tornou-se assim, a região um núcleo da maior importância, na atividade pesqueira, dividindo sua economia com o campo industrial representado pela Usina Nacional de Álcalis.

Cabo Frio

Nascida Santa Helena em 13 de novembro de 1615, a cidade de Cabo Frio, antes província, abrangia conforme auto de sua fundação, um vasto e belíssimo litoral.

Entre a ponta da Emerência e a entrada da barra, encontra-se um cordão de ilhas, deixando entre elas e a costa um canal profundo, o canal do Papagaio. Dentro deste canal, o mar é límpido e calmo.

Nesta área estão as praias do Forte, e como sua continuação, a da Barra, que começam na ponta do Forte de São Matheus e vai até o morro do Miranda, no Arraial do Cabo, marginadas por dunas de Areia alvíssimas, tombadas pelo IPHAN. Praias de mar aberto, foram consideradas pelos velejadores de renome internacional, como uma das "raias" mais rápidas do mundo.

De grande extensão, praticamente deserta, a Praia do Peró, topônimo que deve sua origem, ao fato desta ser a denominação dada pelos índios tamoios aos portugueses, séculos atrás.

É nela que vamos encontrar as mais altas dunas da região. Outra praia de grande beleza, apesar do pequeno tamanho, é a Praia das Conchas em forma de meia-lua, com águas azuis, tranquilas e transparentes. Fica situada entre o morro do Vigia e a Ponta do Arpoador.

Construído de pedra e cal por Estêvão Gomes em 1616, um ano depois da fundação da cidade, o Forte São Matheus está localizado no alto de um penedo, a cavaleiro da barra da lagoa de Araruama. Neste local, havia antes o forte de Santo Inácio, construído por Constantino Menelau.

Fazem também parte do Patrimônio arquitetônico de Cabo Frio, o monumento do Anjo Caído, localizado à beira do Canal Palmer, a Matriz da Igreja de N. Sra. de Assunção, localizada na praça Porto Rocha, erguida em substituição da Capela de Santa Maria dos Anjos, a Igreja e Cemitério da Ordem Terceira de São Francisco, no largo de Santo Antônio, são hoje a sede atual do Mudeu de Arte Religiosa.

No morro da Guia, tombado pelo IPHAN, a Capela de Nossa Senhora da Guia, construída em 1740, tendo à sua frente o Cruzeiro de Pedra de Santo Antônio, que data do Século XVI.

Armação dos Búzios

É numa península que tem em seu extremo norte a Ponta do Criminoso, lugar de águas agitadas e azul profundo onde vamos encontrar dois tipos distintos de configuração marítima. A leste, praias de mar alto e vegetação rasteira, típicas da região de clima semi-árido. Geribá, Brava e Tucuns, praias de águas frias e espumantes, separadas entre si por pequenas enseadas aconchegantes. Lá, rochedos, penhascos e escarpas, de onde se pode ver, recortando a paisagem, vários cactus, que de braços abertos, do alto, saúdam o mar. Deste lado se encontram os morros mais altos da região que juntos com eternas gaivotas, dividem um cenário de detalhes e beleza mais agressiva.

No seu lado oposto, há calmaria. Protegidas pelos contrafortes da Serra do Mar, que morre em Macaé e pela maior quantidade de baías protegidas em seu recorte, as praias à oeste da península têm águas quietas e quentes. Praias de Manguinhos Tartaruga , Ossos e Armação. Elas só se agitam quando o vento Nordeste, que bate deste lado, assoviando nas casuarinas, movimenta suas superfícies, provocando pequenas marolas, mansos carneirinhos que morrem em suas areias de tom amarelado.

Este cenário, de beleza real bem superior à descrita, serviu de inspiração para um poeta maior, José de Alencar, que o descreve em seu "Alfarrábios" (Crônicas dos Tempos Coloniais) na lenda "O Ermitão da Glória".

Portugueses, negros e corsários

Procurando proteção e porto para seus navios, franceses ingleses e holandeses, em busca do pau-brasil, ancoram em vários remansos da Ponta dos Búzios, como então era chamada. Apesar de expulsos, deixaram raízes, que até hoje estão vivas na região. São nos olhos azuis e nos cabelos louros de vários pescadores netos e bisnetos de Búzios, que elas podem ser confirmadas. Da mistura de índios, europeus e negros trazidos d'África, transportados para os canaviais fluminenses é que se forma a população que até hoje vive em Búzios e até bem pouco tempo, vivia exclusivamente da pesca.

Esta pesca foi durante séculos a única fonte de renda do Município de Cabo Frio; que arrendava todas suas praias, inclusive as de Armação dos Búzios, aos pescadores, que pagavam a cada três anos licença para pescar. São famosas as pescarias, no século XVII, de Tomás da Costa, na Praia da Ferradura e as do Sargento-Mor João da Costa, na Ponta dos Búzios, como contava, em outubro de 1729, João Álvares da Souza Sardinha, citadas por Lamego.

Os Pioneiros

O tempo passou ao redor da adormecida Búzios, que assim ficou durante muito tempo.

Sem água potável, a que existia era colhida das chuvas, raras, pelas calhas de barro, das pequeninas casas de pescadores. Luz também não havia. Apenas lampiões, velas e vagalumes brilhavam, além das estrelas, nas noites de Búzios.

Por volta de 1910, Eugenio Honold é o primeiro a chegar na península. Atraído por manchas escuras existentes nas superfícies dos pântanos, muito comuns na área, o que acreditava ser petróleo, começa a comprar grande quantidade de terras em toda a região. (Suposição não de todo impossível haja visto, hoje em dia, os poços de petróleo da bacia de Macaé.) Felizmente, não era. Surge então outra suposição. Desta vez as manchas seriam provenientes de solo com turfas, que produzem um óleo de cor parecida com o petróleo, de propriedades também combustíveis. Compra então a Fazenda Campos Novos, de cinco mil alqueires, antigo convento e igreja, que no tempo dos jezuitas hospedou Darwin e Saint Hilaire. Existia ali um cemitério dos padres, em cujo portal se lia: "Nós fomos o que vós sois, vós sereis o que nós somos'"...

Instalado, Honold começa a explorar a região até chegar à Armação dos Búzios, porto natural de primeira ordem, desde sua ponta até a Praia dos Ossos, por ser protegida dos ventos e ter boa profundidade. Fica sabendo, então, da existência de um projeto para a construção de um terminal ferroviário de minério de ferro, que viria de Minas e seria embarcado naquela área. A concessão não é dada, mas mesmo assim ele compra as praias dos Ossos, da Armação, Tartaruga, Azêda e Forno. A esta altura, já apaixonado, e mesmo vendo fracassarem a maioria de seus sonhos empreendedores, Eugenio Honold nunca mais deixou de lá ir.

Bem idoso era visto empurrando seu Ford bigode, que atolava nas estradas de barro, por ele mandadas construir.

O terceiro a chegar, levado por Luiz Reis, neto de Honold é Jack Sampaio, no ano de 1927, que também se apaixona por Búzios, tornando-se profundo conhecedor de sua história. Sua casa, de arquitetura colonial portuguesa, situa-se na Praia da Armação.

O entusiasmo de Jack Sampaio começa a atrair para Búzios outras famílias, que partindo do Rio de Janeiro, gastavam até a Fazenda Campos Novos, um dia inteiro de viagem. Primeiro, a ida até Niterói, depois o trem da Leopoldina, que saía às 7:30 da manhã, subia a serra e chegava em Sampaio Correia por volta das onze horas. Ali, almoço e descanso. A viagem prosseguia então por jardineira até Cabo Frio, onde chegavam mais ou menos, quatro horas depois. De lá, mais 24 km de estrada de barro, estreita e acidentada, desta vez de jipe. Búzios agora estava perto. Mais meia hora, através de picadas cortadas à facão e, finalmente encontrar o mar, sempre os emocionava e surpreendia naquela paisagem de clima semi-árido e vegetação agreste e rasteira.

É, pelas mãos da família Sampaio, que em 1951 chegam os Ribeiro Dantas. Atrás dos peixes abundantes em suas águas, os filhos de José Bento e Eudóxia Ribeiro Dantas, compram à Jack Sampaio um lote, na Praia de Manguinhos, onde o engenheiro Romeu Marques, que veio para construir os primeiros poços artezianos de Búzios, já possuía casa. Joaquim Bento e Marcos pedem ao pai ajuda para construir uma casa. Dr. Bento que só conhecia Arraial do Cabo, onde ficava hospedado na casa de Raimundo de Castro Maya, resolve entregar as chaves da casa, em mãos, a seus filhos e, lá chegando, fica também enfeitiçado.

Volta para o Rio "iluminado" como se qualificou, pela beleza de Búzios. Daí em diante Dr. Bento e D. Eudóxia ficam para sempre "habitués" e, Bento um homem de "coraçonadas", além de amar passa, a ser, através de suas obras em favor de Búzios, amado por todos os moradores da região.

É ele quem constói o dique de proteção ao morro que estava desabando, onde está erguida até hoje a igreja que data do século XVII, dedicada à Sant'Anna, padroeira da cidade. Patrocina a execução da primeira igreja católica e do primeiro grupo escolar de Manguinhos.

Dr. Bento lá morreu. E, enquanto vivo foi considerado "Governador" de Búzios e seu maior benfeitor.

Hoje, sua viúva, D Eudóxia é quem continua sua obra, trabalhando pela cidade e conservando sempre viva no povo, a memória de Dr. Bento. Até hoje, sempre presente, ela trabalha de forma dinâmica em todos os setores da comunidade e em especial pela preservação da religião católica.

Quem, aos cinco anos de idade chega no mesmo ano de 1951, é Otávio Raja-Gabaglia. Naquela época, conta ele, predominavam na região as pequeninas casas,caiadasde branco, dos pescadores, que por sua arquitetura simples e apropriada ao clima de Búzios, é até hoje respeitada. Os turistas, ainda em pequeno número começam a comprar as casas, fazendo nelas apenas pequenas melhorias em seu interior. Esta atitude desperta nos pescadores a consciência de que suas casas tinham valor.

Hoje, arquiteto e vereador Otávio; que há 18 anos trocou definitivamente o Rio de Janeiro por Búzios, luta entre outros motivos, pela preservação do "estilo búzios" de arquitetura, que ele muito ajudou a criar. São seus, mais de trezentos projetos na região.

Além de seu charme especial todas as casas de Otávio possuem cobertas de telhas coloniais autênticas, telhados de movimento e leveza inconfundíveis. Elas não ferem a paisagem, nunca lutam contra os ventos e têm em suas janelas, olhos sempre abertos para o mar de Búzios.

Os Locais

No começo, além dos pescadores, que primeiro chegados, anunciavam a venda de seus peixes através do som tirado dos búzios, surgem os mascates e ambulantes de várias origens, que na segunda ou terceira viagem, de lá nunca mais saíram. São os portugueses, os italianos, os turcos, primeiro vendendo de porta em porta, depois de venda montada e família constituída que passam a fazer parte do povoado.

Até hoje, permanecem em Búzios as famílias Tardelli, Mureb e Costa, entre outras.

Desta mistura de tradições e culturas, nasceram as hitórias que contadas de boca em boca, constituem a literatura oral do lugar.

Folclore - Lendas e Festas Religiosas

Difícil de conceituar, o folclore, que é parte integrante da cultura de um povo, tem entre outras, a definição que no momento parece mais cabível. "Folclore é toda e qualquer manifestação coletiva da maneira de pensar, de sentir e de agir, próprias da mentalidade de um povo, onde o elemento básico é a tradição, que lhe dá peso e garante continuidade".

No Brasil, o folclore tem basicamente três grandes origens. A indígena, através de seus costumes e lendas. A portuguesa, a partir dos contos populares da literatura européia e da religião católica. O afro-abrasileiramento é percebido a partir da miscigenação dos cultos católicos e africanos. As mais diversas manifestações folclóricas estão geralmente vinculadas ao calendário religioso, onde se misturam aspectos profanos e sagrados.

Do litoral norte-fluminense, em Cabo Frio, destaca-se a procissão de Corpus-Christi, de data móvel, realizada pelos fiéis da Igreja de N. S. da Assunção, que passa sobre um magnífico tapete com mais de um km, feito de sal, barrilha, pó de café e areia das praias tingidas com anilina. Esta procissão é realizada há muitos anos, daí sua tradição.

Em Arraial do Cabo, a procissão dos pescadores, em homenagem à São Pedro, que sai do canal de Itajurú, de 14 a 15 de julho, constando dela missa e procissão marítima de barcos embandeirados.

Em Búzios, na última semana de julho, acontece a festa de Sant'Anna, padroeira da cidade, que de acordo com "Seu Zinho", um de seus mais antigos festeiros, "havera de ser começada desde os tempos dos piratas". Podendo durar até três dias, dela constam fogos de artifícios e fuguetório — anunciando o dia de Sant'Anna, dia 26 de julho, procissão, ladainha, retreta e quermesse.

Os setores mais ricos e interessantes do folclore são constituídos pelo acervo de literatura oral, mitos e provérbios, que transmitidos de boca em boca, traduzem o conhecimento acumulado pelo povo através dos tempos. As fontes que ainda permanecem vivas são as que vêm das histórias de pescador, do habitante local, dos ditos populares e das conversas sempre cheias de surpresa e calor humano.

Cabo Frio — Lenda da Procissão — há quem tenha visto uma procissão fantasma que, saindo do convento, percorre a cidade, em certas noites, entoando cânticos e litanias e recolhe, novamente, ao convento. Pessoas há que apenas ouviram as vozes dos fiéis extraterrenos".

Arraial do Cabo — Lenda do Linguado — O linguado é um peixe que tem os dois olhos de um lado só, conta-se que no princípio das coisas ele não era assim, tinha um olho de cada lado, como os outros peixes. Um dia, porém, a mãe de Deus entrou no mar. Todos os peixes se afastaram para deixar que ela tomasse seu banho sem testemunhas. Mas o linguado, muito curioso, veio e ficou olhando. Deus, então, como castigo, fez com que ele ficasse assim, do jeito que é hoje: o olho que viu o banho da virgem subiu, e o linguado ficou com o olho torto e um lado cego por causa do desrespeito.

Fonte: Pescador da Praia dos Anjos

Búzios — Lenda do "Além do Céu" — No Costão do Estevão, do lado esquerdo da Praia Brava, prá lá do Skyline, existe um local chamado pelo povo de "Além do Céu", porque havia uma superstição que apavorava os moradores. A lenda conta que ninguém queria ir "Além do Céu", por trás de onde havia uma praiazinha pequenininha feita de pedras onde, em noite de luar, os pescadores que tinham morrido afogados se reuniam para dançar. Conta-se que esta lenda, dos pescadores que dançavam ao luar, chegou à Búzios, com os franceses, por ser esta uma lenda existente na região da Bretanha.

Fonte: Jack Sampaio

Artes e Artesanatos

Conquistados pela beleza local iluminada por intensa luz solar, vários pintores vieram para o litoral pintar suas praias, seu céu sempre azul e o verde agreste de suas vegetações. Tudo os atraía. A singeleza do casario e o pitoresco das canoas e traineiras dos pescadores serviram também de tema para suas telas.

Pancetti foi o primeiro a chegar. Em seguida Jean Guilhaume, marinheiro francês que lá esteve em 1951 e tanto gostou da "ambience", que volta em 1960, instalando-se definitivamente. O pintor retrata em suas telas paisagens que vão do Arraial até Búzios, onde morou dois anos, na Praia dos Ossos. Hoje, profundo conhecedor do local, pinta de memória.

Carlos Scliar, chega em Cabo Frio, com o cineasta Rui Santos, no ano de 1941 e apaixonando-se pela paisagem das salinas, decide fazer ali, um dia, seu atelier. Mas só vinte e dois anos depois seu sonho se realiza. Em 1964, pinta seus primeiros quadros sobre Cabo Frio, onde passa a morar fundamentalmente, em 1966, quando constroi sua casa/atelier.

"Tento fazer do ato de criar um instante de inteligência e de amor ao homem" — Palavras do Pintor.

Hospedada, durante dois anos, na casa de Jean Guilhaume, Djanira também se inspira na região. Assim como eles, por lá passaram ou fixaram atelier Di Cavalcanti, José de Dome, Bonadei, Carlos Bracher, Ivan Marquetti, Carlos Leão, José Paulo Moreira da Fonseca, Carlinhos Mendonça, Domênico Lazarini, João Henrique, Carlos Canone, Lígia Clark, Maria Luiza Leão, Carlos Thirê e Carlos Lima.

José Paulo Moreira da Fonseca pintou Búzios durante dois anos consecutivos, quando em 1964, hospedou-se em casa de amigos. Uma das imagens do lugar que ficou retida em sua memória foi um carro, muita poeira e gente correndo atrás. Dentro sabia-se, estava o símbolo do eterno-feminino presente, Brigitte Bardot. Cena surrealista, que tinha em Búzios "lugar onde há um abuso de intimidade com a terra", cenário ideal. Inspirado pela beleza de Búzios José Paulo trabalha tanto que, um dia por falta de telas e já plenamente integrado em sua paisagem, começa um novo estilo de pintura que classificou como "de Búzios". Utiliza em substituição às telas tradicionais, pedaços lavados de madeira, deixados pela maré, pintando neles peixes e rostos.

> "Em Búzios sentimos a existência paupável de nosso corpo. É necessário então, abandonar a libré burguesa da gravata, e deixar seu sol de força interior nos invadir. E o sol de Búzios aclara até as almas. Porque o corpo uma vez satisfeito permite à alma, existir".

Palavras do Poeta e Pintor, José Paulo Moreira da Fonseca

Autodidatas, os artesãos da região muito contribuem para a arte local. Aproveitando a matéria prima local, de barro, de madeira, de palha, de areia, são criadas e executadas suas peças.

Mudinho, considerado o maior artesão do Estado do Rio, conserva nas suas esculturas de madeira, a pureza de uma arte antiga, plantada no chão mágico da Praia Raza (Búzios), preservando assim, a expressão simples de seu povo.

Zé do Barro, com suas peças de cerâmica, Onofre e seus cavaquinhos, os cesteiros da entrada da Praia Raza. Dona Gê, rendeira de Arraial, são entre outros, os que mais destacadamente contribuem com seu trabalho, para a preservação e divulgação desta forma folclórica de arte.

Búzios Hoje

Búzios hoje é a convivência do passado com o presente em perfeita integração. Ali permanecem as pequenas vilas de pescadores que aceitaram pacificamente a invasão de seus mares pelos velejadores de laser, tornado e windsurf, fazendo com que esta mistura desse o charme à vida local.

É, ao nascer do sol, quando juntos os pescadores, velejadores e joggers saem para uma de suas praias, que Búzios começa a acordar. Os pescadores, enrolam suas redes e preparam suas traineiras, que às vezes partem cheias de turistas ansiosos por conhecerem suas praias. Os velejadores esticam suas velas, umas brancas outras coloridas, pequenas borboletas a sobrevoar a superfície do mar. E, aos pares ou solitários, os corredores se aquecem ao sol, ainda suave, para uma corrida pelas areias firmes.

Alguns, se refazendo de noites mais prolongadas, permanecem mais tempo, entocados em suas casas, aconchegados pelo barulho da brisa e das ondas do mar.

Quando o sol está mais forte, o mar fica pontilhado de branco — são os velejadores — que misturados às traineiras que retornam ao seu ponto de partida, criam um cenário de indescritível beleza.

Suas praias, algumas quase desertas, outras cheias de vida oferecem opção para os mais variados estados de espírito.

E, quando o sol esquenta a península, dormindo ou acordadas, todos estão de alguma forma participando da eterna festa, que é Búzios, um mundo sempre amarelo e azul onde se é recebido pelo suspiro perfumado da terra de eterno verão. Por toda parte buganvilles das mais variadas cores ultrapassam, generosos, os muros das casas que os escondem. Também os hibiscos, de pescoços compridos, eternamente floridos, saúdam os olhos dos visitantes. Deste jardim emanam essências que fermentadas ao calor do sol de Búzios, deixam pairar no ar, seu perfume característico.

Com o sol dormem os que, ao cair da tarde, cansados, armazenam energia para a noite que promete novas e diferentes atrações.

Das casas, das pousadas e dos hotéis, saem pessoas em busca daquele barzinho pequeno para a última caipirinha, tomadas debaixo de estrelas, quiçá, lua cheia. Butiques iluminadas oferecem uma moda exclusiva. Restaurantes sofisticados, um menu inusitado e, naquele cantinho escondido, o jazz, a canja de músicos e cantores anônimos e famosos.

Sem ser a terra oficial dos deuses, eles por certo devem lá passar suas férias. Em Búzios, onde tudo foi dimensionado para ser um sonho, quem vê, fica. Se puder, vai procurar fazer deste pequeno paraíso, onde a natureza é o grande personagem, seu último refúgio. É o espírito de Búzios, que contagia e onde não é preciso representar. Simples expectador do espetáculo, permanece-se intacto e feliz. Não é preciso abrir mão de nada, lá sempre é tempo de somar. E, quem fica, torna-se buziano de coração.

Dea Backheuser
Maria Helena Silva Ramos
junho de 85.

Armação dos Búzios

Casa de pescador, Geribá *24*

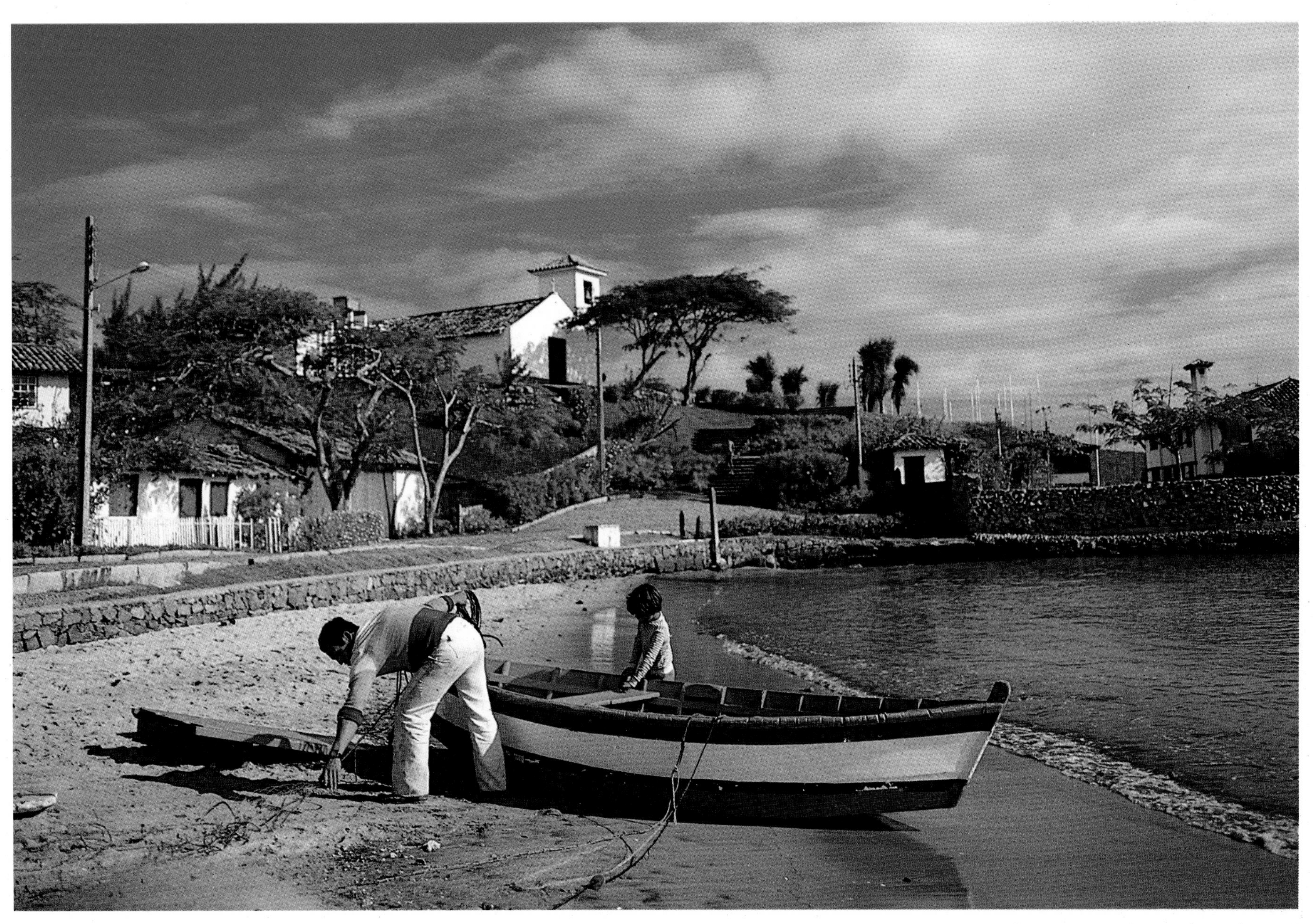

Praia dos Ossos, ao Fundo Igreja de Santa'Anna.

Casa da colônia. *26*

Antigo escritório da Fazenda Campos Novos. *27*

Pousada nas Rocas, Ilha Rasa. *28*

Escuna da Pousada nas Rocas, Ilha Rasa. *29*

Península de Búzios, à esquerda praia de Manguinhos e à direita praia de Geribá. *30*

Pescadora, rochedos na praia de João Fernandes. *31*

Gorgôneas e baiacu, mar de Búzios. *32*

Anêmonas e baiacu, mar de Búzios.

Igreja de Sant'Anna, padroeira de Búzios, praia dos Ossos. *34*

Praia dos Ossos. *35*

Praia Gorda Ilha Rasa. *36*

Por do sol na Praia da Armação. *37*

Fim de tarde Praia dos Ossos, ao fundo Ilha Feia. *38,*

Enseada da Armação de Búzios.

Mar em Geribá. *40*

Praia de Geribá. *41*

Praia das Focas. *42*

Praia das Focas. *43*

Ponta da Ferradura. *44*

Enseada do Forno, Focas em primeiro plano.

Praia da Ferradurinha. *46*

Trilha para a praia de Geribá.

Praia das Caravelas. *48*

Praia de Tucuns e as Ilhas Emerências.

Praia da Tartaruga. *50-51*

Praia do Forno. *52*

Praia da Ferradura.

Praia da Azedinha. *54*

Praia da Azeda.

Cabo Frio

Capela Nossa Senhora da Guia. *56-57*

Forte São Mateus, construído em 1616. *58*

Canal de Cabo Frio. *59*

Entrada do Canal de Itajurú. *60*

Praia do Forte, ao fundo São Mateus. *61*

Tapetes coloridos de sal, festa de Corpus Christi. *62*

Tapetes de sal para a procissão de Corpus Christi.

Praia Grande, ao fundo Arraial do Cabo. *64*

Praia das Conchas, Cabo Frio. *65*

Praia das Conchas, ao fundo praia do Peró. 66-67

Praia das Conchas, entre o morro de vigia e a ponta do Arpoador. *68*

Praia das Conchas, morro da vigia e ponta do arpoador. *69*

Praia do Peró. *70-71*

Salinas de Cabo Frio. *72*

Salinas de Cabo Frio. *73*

Rua de Cabo Frio. *74*

Pescador em Cabo Frio.

Arraial do Cabo

Boqueirão, Arraial do Cabo. 76-77

Arraial do Cabo. *78*

Arraial do Cabo. 79

Arraial do Cabo. *80*

Pontinha em Arraial do Cabo. *81*

Arraial do Cabo. *82*

Arraial do Cabo. *83*

Ilha dos Franceses, vista do Pontal ao Atalaia. *84*

Vista do Pontal do Atalaia.

Dunas da Ilha de Cabo Frio. *86*

Dunas da Ilha de Cabo Frio. *87*

Praia dos Anjos, cardume de bonitos. *88*

Arrastão na praia dos Anjos, Ilha de Cabo Frio.

Encosta da Ilha de Cabo Frio. *90*

Golfinhos no boqueirão, Ilha de Cabo Frio. *91*

Colonia de Pescadores, Praia Grande. *92*

Praia Grande, Arraial do Cabo.

O Mar

Em todo o teu corpo
Não há sequer uma cicatriz
A cada momento refazes
O que o tempo devastou
Ensina-me o teu segredo
A tua vertigem.

José Paulo Moreira da Fonseca

Tela de José P. M. da Fonseca, Praia da Ferradura, Búzios.

Tela de Djanira, casa do pintor Scliar em Cabo Frio. *96*

Tela de Glauco Rodrigues "Ferradurinha".

Tela de Carlos Lyra. Cabo Frio. *98*

Tela de Jean Guilhaume, Salinas, Cabo Frio. *99*

Scliar, entardecer na Gamboa, em Cabo Frio. *100*

Mudinho, artesão da Praia Rasa, Búzios.

Artesanato de Búzios. *102*

Artesanato de Búzios. *103*

Brasil

Table of Contents

A squall blew in on a northeast wind,
wrapping the ocean in its bronzed mantle.
The shadow thrown by the black castles
of could blackened the troubled coastline even more.

The islands strung out along this vast sea bosom
between Ponta dos Búzios and Cabo Frio
merged with dry land,
as if they were merely jutting rocks.

...a shallow-side, single-masted ship,
so close-knit to the coast that even the
most experienced sailor's eye couldn't make it out
half a mile away,
between the craggy bouldered shore and the surf-covered reef.

José de Alencar

May 1873

The Region is Discovered

Cabo Frio was discovered by the Florentine navigator Amerigo Vespucci in 1503, when he came upon a beach of white sands and quiet water, which he named Cabo da Rama. This is now known as Praia dos Anjos, in Arraial do Cabo.

In Vespucci's day, the area was already inhabited. It was the home of the Tamoyo and Goytacá Indians, two branches of the Tupinambá family. According to historians and anthropologists, they settled in this spot at least a thousand years before the Portuguese arrived.

Many consider the region one of the oldest in Brazil, and the starting-point for the exploration of the whole province of Rio de Janeiro.

The first trading post established by Vespucci in Brazil was managed by the Portuguese João de Braga, commander of 24 men whose job was to garrison the newly discovered coast.

Shortly after Vespucci's departure, leaving behind him not only soldiers but a rudimentary hut of mud and thatch, the contemporary seafaring maps — more precisely, Kunstmann's Map III, dated 1506 — began to bear the name of Cabo Frio, and an island of the same name also appeared. Several historians say the place is probably named "cold cape" because of the contrast between its chilly climate and the heat of the surrounding region.

"When they sailed past this point on the coast, the navigators noticed a sudden change in temperature, so sudden that the monkeys on board died or fell ill."

This is a toponym, then, with virtually the same historical age as Brazil.

1504: Colonization Begins

"When Amerigo Vespucci accompanied an expedition commanded by Gaspar de Lemos, which took him to the newly discovered lands, he pleased the Portuguese by finding that there were large amounts of brazilwood, known to the Indians as ibirapitinga, *or 'pink wood', in the forests along the Atlantic coast.*

"Brazilwood was well-known to the Europeans, for since the Crusades, when they had brought it from the Indies, it had been used as an auxiliary raw material in the textile manufactures of France, Italy and Flanders. Denominated a 'state monopoly', the extraction of this timber, used for dyeing, was leased out to traders in 1502. The first brazilwood contract was obtained by Fernão de Noronha, a "new Christian", as forcibly converted jews were known in 16th-century Portugal. The Portuguese then undertook to stop imports of brazilwood from the Orient, while the lessees were building up the annual trade in the timber. This marked the beginning of Brazil's real exploration, and the appearance of the 'Brazilians', as brazilwood traders became known" (from História da Sociedade Brasileira, *Francisco Alencar, Lucia Carpi, and Marcus Vinicius Ribeiro).*

In 1503, this trading group financed an expedition headed by Gonçalo Coelho, which explored the region and is said to have donated to Fernão de Noronha in 1504 and now bears his name.

In 1511 the Cabo Frio trading post received from the ship Nau-Bretoa *the following provisions:*

22 parakeets, 16 marmosets, 16 cats, 15 parrots, 3 monkeys, 5,000 brazilwood logs, 40 slaves, mostly women, and dozens of Indian prisoners.

Portuguese immigration to the spot then began. On November 13 1615, at a place called Casa da Pedra, the town of Santa Helena was founded, now known as Cabo Frio.

"...and, if it be true, it can be added that here was born South American civilization, with the first settlement on dry land: that of Vespucci, between December 1503 and January 1504"

(Alberto Lamego).

Pirates: French, Dutch and English

The large amount of brazilwood along the coast, which lacked military protection and was dotted with creeks and inlets providing excellent safe harbour for marauding ships helped to make the region most attractive to French, English and Dutch buccaneers.

Their increasingly threatening and frequent raids forced the Government to give the area protection and accelerate its settlement. As a result, the province, or Capitania, *of São Tomé was founded, Cabo Frio being a part of it.*

The main struggle was between the mair *and the* peró, *as the Indians called the French and Portuguese. The Portuguese had a hard time beating the invaders back. With the help of the Tamoyo, the*

French persisted, and fresh raids at several points on the coast were organized. Some of these were aimed at a long-term settlement, such as the "Antarctic France" expedition from Cabo Frio to the Bay of Guanabara between 1555 and 1567, and "Equinoctial France" in Maranhão between 1612 and 1615. In the Cabo Frio region the French built base camps and shelters in which to store smuggled timber.

In 1564 the French invaded Rio de Janeiro, which was defended by Estácio de Sá, nephew of Governor-General Men de Sá.

The new King of Portugal, Dom Sebastião, after Mem de Sá's death in 1572, divided the Brazilian government in two. He ruled that the southern part be governed by Dom Antônio Salema, a jurist and professor from Coimbra University. Salema left Rio de Janeiro for Cabo Frio on August 27 1575. There he led a massacre of the Tamoyo and put the French to flight, although shortly afterwards they returned with English and Dutch pirates. The Portuguese tended to see no distinction between other nationalities except the Spanish, so that until today doubt persists as to the exact origin of these pirates, and hence the real date when the French pirates were finally evicted from the place.

Around 1615, Constantino, helped by Mem de Sá and the Indian Araribóia, managed to drive the French and Dutch out of Cabo Frio for good, after a number of guerrilla campaigns.

Arraial do Cabo

"Arraial do Cabo stands in a dip in the dunes, surrounded on almost all sides by hills, as if it had been placed on top of a volcano. One has the impression that geography gave it the destiny of living a seafaring life."

Formed over a thousand years ago from the sandbanks left behing when ancient islands disappeared, the hills known as Morro da Miranda, Morro do Forno and Morro do Pontal do Atalaia were thereby imprisoned by their connection to the mainland.

For centuries, life on the mainland was cut off by the Araruama lagoon and the Itajurú canal. To this was added the lack of a road link to the township which is now the seat of the municipality.

In the 1950s, Arraial underwent major changes caused by the effects of the arrival of Companhia Nacional de Álcalis, headed by Almirante Êrnani do Amaral Peixoto. At that time, Raimundo de Castro Maya, a great art collector, visited the place and fell in love with it. He decided to restore the building known as Casa de Pedra on Praia dos Anjos beach; some say this was a fortress built at Amerigo Vespucci's time.

Arraial is an excellent fishing spot, because of the ocean up-welling, that is the rising of cold water currents from the Antarctic which surface at this place.

Praia dos Anjos, the beach where Vespucci landed, and Pontal do Atalaia, which juts out into the ocean as if reaching out to embrace the cliffs of Ilha de Cabo Frio, are places of incredible beauty.

Opposite stands the island known as Ilha dos Franceses, one of the best places to fish in the whole region.

Arraial do Cabo has typical vegetation, because the active sedimentation process means that its soil is useless for farming, so that the cabistas, *as natives of Cabo Frio are called, have become fishermen* par excellence. *The region has therefore become highly important to the national fishing industry, although another important part of its economy is Usina Nacional de Álcalis.*

Cabo Frio

Founded under the name of Santa Helena on November 13 1615, Cabo Frio, formerly a province, covered a vast and beautiful stretch of coastline according to the document registering its foundtion.

Between Ponta da Emerência and the harbour bar there is a chain os islands, and between these and the coast runs a deep channel, known as Canal do Papagaio. The sea in this channel is clear and calm.

This area contains a number of beaches, such as Praia do Forte and its continuation, Praia da Barra, which begin where Forte São Matheus stands on its promontory and extend as far as the hill named Morro do Miranda in Arraial do Cabo. They are fringed by dunes of the whitest sand, which are listed as protected natural monuments by IPHAN, the national authority which oversees the conservation of historic and artistic treasures. These beaches are open to the ocean, and many world-famous yachtsmen have found this coastline provides some of the fastest sailing anywhere.

One of the longest beaches is Praia do Peró, which is always practically deserted. it owes its name to the Tamoyo word for the Portuguese discoverers centuries ago.

This is where the highest dunes in the region are to be found. Another exceptionally beautiful beach is Praia das Conchas: small and crescent-shaped, its waters are blue, serene and transparent. It stands between Morro do Vigia and Ponta do Arpoador.

Forte São Matheus, a fort built of whitewashed stone by Estevão Gomes in 1616 (a year after the town was founded), stands on the brow of a cliff, overlooking the bar of Araruama lagoon. Before it, the site was occupied by Forte de Santo Inácio, built by Constantino Nunelau.

Cabo Frio's architectural heritage also includes the Fallen Angel monument on the bank of Canal Palmer, the mother church of Our Lady of the Assumption in Praça Porto Rocha, built on the site where Santa Maria dos Anjos chapel had stood before it. The Church of the Third Order of Saint Francis in Largo de Santo Antônio now houses the Museum of Religious Art.

On Morro da Guia hill stands the Nossa Senhora da Guia chapel, also a listed building. It was built in 1740, and in front of it there is a 16th-century stone cross known as Cruzeiro de Pedra de Santo Antônio.

Armação dos Búzios

It is on a peninsula whose northern tip, called Ponta do Criminoso, is a place of choppy deep-blue seas, that we can find two distinct types of marine configuration. To the east, open beaches facing the ocean, with scrubby vegetation which is typical of the region and its semi-arid climate. Geribá, Brava and Tucuns: these are the names of beaches where the sea is cold and foamy, separated by small, cosy creeks. Here rocks, cliffs and escarpments look out to sea; from them, one can see many cacti with open arms embracing the landscape from their high-up vantage point. On this side there are the region's highest hills, which share with the eternal seagulls a scene of more aggressive details and beauty.

On the opposite side calm reigns. Under the protection of the spurs of the Serra do Mar mountains, which peter out in Macaé, and of the larger number of sheltered bays along its coastline, the beaches on the western side of the peninsula are bathed by warm, quiet waters. They only become more agitated when the northeast wind, which blows on this side, whistling in the pines, roughens the surface of the ocean, making white waves spring up like tame sheep which fall quietly on their yellow sands.

This scenery, whose beauty is really far greater than can be described, inspired one of Brazil's most celebrated poets, José de Alencar. He wrote of it his Alfarrábios (Crônicas dos Tempos Coloniais), *in the legend of* O Ermitão da Glória.

Portuguese Settlers, Africans and Pirates

The French, English and Dutch pirates who came looking for brazilwood anchored in the backwaters of Ponta dos Búzios, as it was then called. They were eventually expelled, but they left roots behind them which are still alive today in the region. They can be seen in the blue eyes and fair hair of many fishermen who are the grandchildren or great-grandchildren of these original natives of Búzios. The mixture of Indian, European and African blood (from the slaves brought to work on the sugar plantations) led to the formation of the population found in Búzios today, many of whose people lived on fishing alone until very recently.

Fishing was for centuries the only source of income for the townsfolk of Cabo Frio. All the local beaches, including those in Armação dos Búzios, were leased to the fishermen, who paid a fee once every three years to use them. There are records of famous fisheries in the 17th-century owned by Tomás da Costa at Praia da Ferradura, and by Sargento-Mor João da Costa at Ponta dos Búzios, as João Alvares de Souza Sardinha recounted in October 1729, quoted by Lamego.

Pioneers

Time flowed on past sleepy Búzios, which remained unchanged for many years. Since there was no running water, people had to collect the rainwater for drinking. Although little rain fell, what there was could be collected in clay gutters on the fishermen's small houses. There was no electricity either. All they had were lamps, candles, and the glint of the fireflies, besides the stars which lit the night skies of Búzios.

Around 1910, Eugenio Honold was the first to arrive on the peninsula. Attracted by dark blotches to be seen on the surface of the marshes, which were common in the area, he became convinced there was oil in the region, and began to buy up large amounts of land throughout the area. Retrospectively, this was no vain supposition, since there are now oil wells in the Macaé basin. But luckily Honold was wrong. Another supposition arose. This time, he thought the dark stains were signs of peat, which exudes a type of oil like petroleum, and can also be used as fuel. Honold therefore purchased Fazenda Campos Novos, an estate of some 30,000 acres, with an old convent and church, all belonging to the Jesuits. Darwin and Saint-Hilaire had stayed there on their travels. The area contained a cemetery where the priests had written up over the gate: "We have been what you are now; you shall be what we are now..."

Once installed on his new property, Honold began exploring the region until he reached Armação dos Búzios, a first-class natural port from its tip as far as Praia dos Ossos, as it was sheltered from winds and had sufficient depth. He then heard of the existence of a project to build a rail terminal for shipping iron ore brought from Minas Gerais. The concession was not granted, but even so he bought up the beaches named Ossos, Armação, Tartaruga, Azêda and Forno. By now he had truly fallen in love with the place, and espite the failure of most of his entrepreneurial dreams, Eugenio Honold never stopped visiting and staying there.

When he was an old man, he was seen pushing his 1929 Ford out of the mud as he drove along the dirt roads he had himself had constructed.

The third pioneer to arrive was Jack Sampaio. He was brought by Honold's grandson, Luiz Reis, in 1927. Sampaio too fell in love with Búzios and became a connoisseur of its history. His house, built in the colonial Portuguese style, can be seen at Praia da Armação.

Jack Sampaio's enthusiasm began attracting other families, who took a whole day to travel from Rio de Janeiro to Fazenda Campos Novos. The first leg was to Niterói, then the train took them on along the Leopoldina railway, leaving at 7.30 a.m., climbing the mountains and arriving in Sampaio Correia around 11 o'clock. There they had lunch and rested. The journey then continued by omnibus to Cabo Frio, where they would arrive some four hours later. But now they were obliged to endure a further 15 miles of narrow, bumpy dirt road by jeep to rech a spot near Búzios. Another half hour walking along paths cut through the undergrowth, and finally there was the sea, an exciting sight in the midst of the dried-up bush-like vegetation and the semi-arid climate.

The Sampaio family brought the Ribeiro Dantas family in 1951. Attracted by the idea of catching the abundant fish that swam in its waters, the children of José Bento and Eudóxia Ribeiro Dantas bought a piece of land at Praia de Manguinhos from Jack Sampaio. Engineer Romeu Marques, who had come to make the first artesian wells in Búzios, already had a house there. Joaquim Bento and Marcos asked their father for help in building a house of their own. Dr. Bento, who only knew Arraial do Cabo where he used to stay with Raimundo de Castro Maya, decided to go personally to deliver the key of the house to his children, and when he got there he fell under the spell of the place.

He returned to Rio "illuminated", as he put it, by the beauty of Búzios. From then on, Dr. Bento and Dona Eudóxia became habitués *for ever, and Dr. Bento, who was a man of sudden heartfelt impulses, became much loved by all those living in the area.*

It was he who built the dike which protects the hillside — then threatening to collapse — where the 17th-century church dedicated to Saint Anne, the patron saint of the town, still stands.

He sponsored the building of the first Catholic church in Manguinhos, and of its first school.

There Dr. Bento died. He was considered the "Governor" of Búzios and its greatest benefactor during his lifetime.

His widow, Dona Eudóxia, has continued his work on the town's behalf, and kept his memory alive in the minds of its inhabitants. She still plays a dynamic role in all community activities, especially in the preservation of the Catholic religion.

In 1951, Otávio Raja-Gabaglia arrived, at the age of five. He recalls that at that time most of the houses were the typical fisherman's dwelling, very small and whitewashed. This simple architecture, which so perfectly suits the climate of Búzios, is still respected today. Some of the houses were already being sold to outsiders, very few in number then, and they made only a few alterations to the interior. This attitude made the fishermen realize how valuable their houses were.

Otávio, who is an architect and now a town councillor for Búzios, is fighting among other things for the preservation of the "Búzios style" of architecture, which he has greatly helped to create. He has designed more than 300 houses in the area.

In addition to their own special charm, Otávio's houses have unmistakable roofs of authentic colonial tiles, which give them a feeling of movement and lightness. They do not clash with the landscape, never fight against the wind, and their windows are ever-open eyes looking out to sea.

The Locals

Besides the fishermen, who were the first to arrive and called the attention of potential customers wanting to buy fish by rattling long chains of shells called búzios, *there were a number of hawkers and travelling salesmen from different places. Once they had been there two or three times, they would always decide to stay for good. Some were Portuguese, others Italians or Arabs from Syria and Leba-*

non. They begin by selling on people's doorsteps, but soon would have their own store, and a family, and become genuine locals.

Some of these families still live in Búzios, such as the Tardellis, the Murebs and the Costas, among others.

This blend of traditions and cultures gave rise to the stories which have passed down through the generations, and are now part of the oral history of the place.

Folklore: Legends and Religious Feasts

The concept of folklore is hard to define: it is a major part of any people's culture, and this is one definition which seems appropriate for presente purposes. "Folklore is any collective manifestation of a mode of thinking, feeling and acting which is proper to the mentality of a people, in which the basic element is tradition, which gives it weight and ensures continuity."

Brazilian folklore has three main origins: the Indians' customs and legends; popular stories coming from European literature and the Catholic religion, and brought over by the Portuguese; and a miscegenation of Catholic and African ritual which is usually called Afro-Brazilianism. There are all kinds of folklore, usually connected in some way to the religious calendar and blending profane and sacred elements.

One outstanding example comes from Cabo Frio, on the northern coast of the state of Rio de Janeiro. This is Corpus Christi, a movable feast on which the congregation of the church of Our Lady of the Assumption make a procession through the streets, paved with a magnificant carpet stretching out over more than a mile altogether. It is made of salt, barilla (or soda ash), coffee powder and dyed sand taken from the beach. The procession is a longstanding tradition and has been held for a great many years.

In Arraial do Cabo, the fishermen hold a procession in honour of Saint Peter on July 14 and 15. It begins with Mass, and then a marine procession of boats bedecked with coloured flags which leaves the Canal de Itajurú.

In the last week of July, Búzios celebrates the feast of Saint Anne, the patron saint. According to "Seu Zinho", one of the traditional organizers, "the feast has probably been held since the days of the pirates." It can last up to three days, with fireworks and processions, a fairground and bazaar, bands and litanies, all to mark Saint Anne's day, which is July 26.

The richest folklore is that contained in oral history, myth and proverb, handed down by word of mouth and reflecting the knowledge people have accumulated over the centuries. The sources embodied in those still living include fishermen's stories, the memories of the locals, the popular sayings, and conversation itself, always full of surprises and human warmth.

Cabo Frio: "The legend of the procession" — Some people say they have seen a ghost procession which leaves the convent and walks through the streets of the town on certain nights, chanting and reciting litanies, and returning to the convent. There are also people who have only heard the voices of extraterrestrial faithful.

Arraial do Cabo: "The legend of the flatfish" — The flatfish family all have both eyes on the same side. People say that it had one on each side, like any normal fish, originally, but one day the Mother of God went for a bathe in the sea, and all the fishes swam away so she could take her bath in private. The flatfish, however, couldn't resist swimming up to take a look. God punished it by making it the way it is today: the eye that saw the Virgin bathing twisted up, and the flatfish went blind on the other side because it was so disrespectful.

Source: Fisherman from Praia dos Anjos

Búzios: "The legend of 'Beyond-the-Skies" — To the left of Praia Brava, at Costão do Estevão, there is a place known as Além do Céu *("Beyond-the-Skies"). People call it by this name because of an old superstition which used to frighten them. According to the legend, nobody wanted to go "Beyond the Skies", because there was a place beyond the skyline with a tiny beach protected by rocks where drowned fishermen would come back to dance in the moonlight. This legend is said to have come to Búzios with the French, as the same legend exists in Brittany.*

Source: Jack Sampaio

Art and Handicrafts

Enchanted by the local beauty, illuminated by the intense sunlight, a number of painters have come to this part of the coast to paint its beaches, its constant blue sky, and the wild green of its vegetation. Everything attracts them. Their canvasses also portray the unique style of the houses and the picturesque canoes and boats of the fishermen.

The first to arrive was Pancetti. Then came Jean Guilhaume, a French sailor who had been there in 1951 and loved the ambiance *so much that in 1960 he returned to settle for good. He paints landscapes from Arraial to Búzios, where he lived for two years at Praia dos Ossos. Today he paints from memory, using his profound knowledge of the places he loves.*

Carlos Scliar came to Cabo Frio with film director Rui Santos in 1941. He fell in love with the scenery created by the salt-works, and one day decided to set up a studio there. But his dream only came true 22 years later. In 1964, he painted his first canvasses of Cabo Frio, where he came to live definitely in 1966, building his house and studio there in that year. "I try to make the creative act a moment of intelligence and love of mankind," the painter says.

Djanira, who was a guest of Jean Guilhaume for two years, also takes her inspiration from the area. Like all these, others who have visited the area or actually set up their studios there include: Di Cavalcanti, José de Dome, Bonadei, Carlos Bracher, Ivan Marquetti, Carlos Leão, José Paulo Moreira da Fonseca, Carlinhos Mendonça, Domênico Lazarini, João Henrique, Carlos Canone, Lígia Clark, Maria Luiza Leão, Carlos Thirê, and Carlos Lima.

The craftsmen of the region, all self-taught, have made a rich contribution to the local arts, using local raw material, such as clay, wood, straw and sand.

Mudinho, considered the greatest craftsman in the state of Rio, keeps his wooden sculptures, with all the purity of ancient art, planted in the magic ground of Praia Raza (Búzios), thus conserving the simple expression of his people.

Zé do Barro and his pottery. Onofre's cavaquinhos *(small stringed instruments like a cross between a banjo and a ukelele). Passinha's cloth witches at Praia Brava. Manoel Costa's wooden bowls, statuettes and local animals. Done Gê, who makes a whole range of lace at Arraial do Cabo. The basket-weavers of Cabo Frio. These are only a few of the many who have helped to preserve and spread the fame of this folk art through their talent and hard work.*

Búzios Today

Búzios today embodies the coexistence of past and present in perfect harmony. The fishing villages have lived on, side by side with the influx of outsiders, who take to the waves on their lasers or windsurf boards. It is precisely this mixture that gives local life all its charm.

When the sun comes up, fishermen, windsurfers and joggers alike make for one of the many beaches, and Búzios is awake. The fishermen roll up their nets and prepare their trawlers, which often put out to sea crowded with tourists eagerly awaiting the chance to get to know the local beaches. The yachtsmen hoist sails, some white, others coloured. Like small butterflies, they scud over the waves. In pairs or singly, the joggers do their warming-up in the still mild sunlight, and then run off over the firm sand.

But some people need a rest after a late night, so they stay snugly at home, soothed by the sound of the breeze and the waves.

Once the sun is up and hot, the sea becomes dotted with white: the sailing boats are out, and mingling with the fishing trawlers, which are now coming back home. The whole scene is undescribably beautiful.

Some beaches are almost always deserted, others full of bustle. So there is something for all tastes and moods.

When the sun is shining brightly over the peninsula, everyone takes part in the eternal festival which is Búzios. Whether asleep or awake, people are welcome in this world of permanent yellows and blues, where visitors are received by the perfumed sighs of this land where it is always summer. Everywhere bougainvilleas of all the colours in the rainbow cascade over the walls of the houses hiding them. Long-necked hibiscuses, perennially in flower, greet the wide-eyed visitor. The gardens exhale all kinds of scent, which ferments in the heat of the sun, so that the air is full of a characteristic

Búzios perfume.

As evening falls and the sun sets, those who wish to save up energy for the varied nighttime attractions take a nap.

The doors of hotels, hotels and houses open, and people step out in the search for their customary cosy bar to take one last drink under the stars, or maybe even the full moon. The windows of many a fashion boutique are lit up to display some designer's exclusive collection for the season. Sophisticated restaurants, unusual menus, and in some well-hidden corner, a night club where famous or ordinary musicians play jazz and samba, and sing enjoyably.

This isn't the official home of the gods, but they surely spend their holidays here. In Búzios, where everything is made to measure for dreamers, once you've arrived you simply can't tear yourself away. If you can, you'll try to make this tiny paradise, where nature has the leading role, your last refuge. This is the spirit of Búzios, which leaves noone untouched. There's no need to playact here. You can simply watch the spectacle, and stay happy and intact. There's no need to give anything away either. In Búzios, it's always the right moment for adding rather than subtracting. And anyone who stays on becomes a buziano *for life.*

Bibiografia

"História da Sociedade Brasileira" — *Francisco Alencar, Lucia Carpi Marcus Vinicio Ribeiro.*
Ao Livro Técnico S/A — RJ 1980 pag. 11 — 14

Alencar, José de — *"Alfarrábios — crônica dos tempos coloniais, e Ermitão da Gloria — Ed. José Olimpio — 1873 — pag. 161*

"Brasil, Festa Popular" — Cascia Frade, Domingos Vieira Filho, Lena Frias, Maria de Lourdes Borges Ribeiro, Raul Lody, Vicente Salles.
Livroarte Editora, 1980 — RJ

"Literatura Oral de Cabo Frio" — Secretaria Municipal de Turismo SECTUR Centro Manoel Camargo.

"Arte Popular e Folclore" — O Folclore Brasileiro — Sec. Municipal de Cabo Frio.

Beranger, Abel F. *"Dados Históricos de Cabo Frio — RJ 1962*

Lamego, Alberto — *(sem título, citados por Beranger e Messa)*

Município em Destaque "*Cabo Frio, Vol I, — Est do Rio de Janeiro — Flumitur*

Hilton Massa — *"Nossa Terra, nossa Gente" — Cabo Frio Nov. de 1961*

Coleção de Monografia (n.º 341) IBGE — *Conselho Nacional de Estatística — 1972 — Cabo Frio, RJ*

da Cunha Werneck, Marcio — *Secretaria Municipal de Cabo Frio* — SECTUR 1980

Municipio Fluminense, *Vol, I, RJ 1979 — Informações de Interêsse* Turístico - Flumitur.

Índice Fotográfico
Photograph Index

Fotos de:
Photos by:

Página
Page

6/7 Antonio Gusmão/câmara três fotografia
22/23 Bruno Von der Leyen/câmara três fotografia
24 Carlos Secchin
25 Carlos Secchin
26 Carlos Secchin
27 Carlos Secchin
28 Carlos Secchin
29 Carlos Secchin
30 Carlos Secchin
31 Carlos Secchin
32 Carlos Secchin
33 Carlos Secchin
34 Carlos Secchin
35 Carlos Secchin
36 Carlos Secchin
37 Carlos Secchin
38 Carlos Secchin
39 Bruno Von Leyen/câmara três fotografia
40 Carlos Secchin
41 Carlos Secchin
42 Paulo Rocha/The Image Bank
43 Claudio Laranjeira/The Image Bank
44 Carlos Secchin
45 Carlos Secchin
46 Carlos Secchin
47 Antonio Gusmão/câmara três fotografia
48 Carlos Secchin
49 Carlos Secchin
50/51 Carlos Secchin
52 Carlos Secchin
53 Carlos Secchin
54 Fernando Seixas/The Image Bank
55 Carlos Secchin
56/57 Antonio Gusmão/câmara três fotografia
58 Mirabeau do Prado Jr.
59 Sebasitão Barbosa/The Image Bank
60 Heitor Hui/The Image Bank
61 Antonio Gusmão/câmara três fotografia
62 Sebastião Barbosa/The Image Bank
63 Sebastião Barbosa/The Image Bank
64 Gillies Guittard/The Image Bank
65 Antonio Gusmão/The Image Bank
66/67 José Francheski
68 Claus C. Meyer/câmara três fotografia
69 Claus C. Meyer/câmara três fotografia
70/71 José Francheski
72 Milton Sussumo Shirata/The Image Bank
73 Heitor Hui/The Image Bank
74 Mirabeau do Prado Jr.
75 Mirabeau do Prado Jr.
76/77 Antonio Gusmão/câmara três fotografia
78 Antonio Gusmão/câmara três fotografia
79 Antonio Gusmão/câmara três fotografia
80 Antonio Gusmão/câmara três fotografia
81 Antonio Gusmão/câmara três fotografia
82 Dario de Castro/The Image Bank
83 Antonio Gusmão/câmara três fotografia
84 Antonio Gusmão/câmara três fotografia
85 Antonio Gusmão/câmara três fotografia
86 Antonio Gusmão/câmara três fotografia
87 Milton Sussumo Shirata/The Image Bank
88 Carlos Secchin/Casa da Foto
89 Carlos Secchin/Casa da Foto
90 Antonio Gusmão/câmara três fotografia
91 Carlos Secchin
92 Antonio Gusmão/câmara três fotografia
93 Claudio Laranjeira/The Image Bank
96 Carlos Secchin
97 Carlos Secchin
98 Carlos Secchin
99 Mirabeau do Prado Jr.
100 Carlos Secchin
101 Carlos Secchin
102 Carlos Secchin
103 Carlos Secchin
104 Carlos Secchin

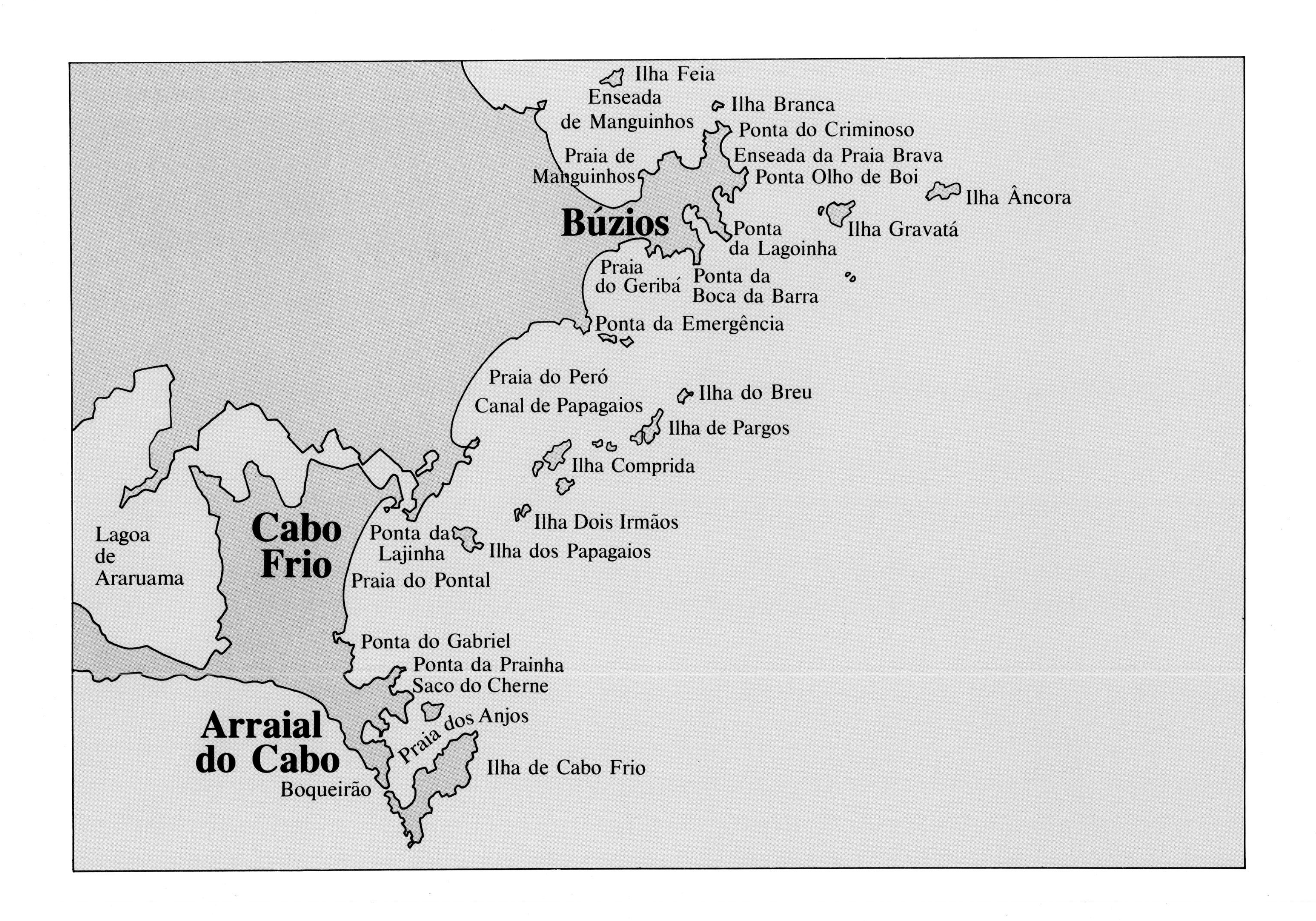
Ilha Feia
Enseada
de Manguinhos
Ilha Branca
Ponta do Criminoso
Enseada da Praia Brava
Praia de
Manguinhos
Ponta Olho de Boi
Ilha Âncora
Búzios
Ponta
da Lagoinha
Ilha Gravatá
Praia
do Geribá
Ponta da
Boca da Barra
Ponta da Emergência
Praia do Peró
Canal de Papagaios
Ilha do Breu
Ilha de Pargos
Ilha Comprida
Ilha Dois Irmãos
Lagoa
de
Araruama
Cabo
Frio
Ponta da
Lajinha
Ilha dos Papagaios
Praia do Pontal
Ponta do Gabriel
Ponta da Prainha
Saco do Cherne
Arraial
do Cabo
Praia dos Anjos
Ilha de Cabo Frio
Boqueirão